少林武术精粹系列丛书

少林拳（四）

德虔　德炎　编著

北京体育大学出版社

责任编辑：任　侠
责任校对：赵红霞
版式设计：李　鹤

图书在版编目（CIP）数据

少林拳. 四 / 德虔, 德炎编著. -- 北京 : 北京体育大学出版社, 2022.1
（少林武术精粹系列丛书）
ISBN 978-7-5644-3566-0

Ⅰ. ①少… Ⅱ. ①德… ②德… Ⅲ. ①少林拳－套路(武术) Ⅳ. ①G852.15

中国版本图书馆CIP数据核字(2022)第007623号

少林拳（四）
SHAOLINQUAN(SI)　　德虔　德炎　编著

出版发行：北京体育大学出版社
地　　址：北京海淀区农大南路1号院2号楼2层办公B-212
邮　　编：100084
网　　址：http://cbs.bsu.edu.cn
发 行 部：010-62989320
邮 购 部：北京体育大学出版社读者服务部 010-62989432
印　　刷：北京昌联印刷有限公司
开　　本：880mm × 1230mm　1/32
成品尺寸：148mm × 210mm
印　　张：1.25
字　　数：25千字
版　　次：2022年1月第1版
印　　次：2022年1月第1次印刷
定　　价：10.00元

（本书如有印装质量问题，请与出版社联系调换）

前　言

武术作为中国的国粹，是中华民族传统文化的组成部分。家喻户晓的少林武术便是其中极具代表性的门类，是中国武术的重要象征。

我社与少林武术结缘已久，伴随着时光的流逝，有多种内容、多样组合、各种形式的载有少林武术的出版物，源源不断地从我社注入市场，为方兴未艾的少林武术热潮平添了更高的热度。可以说，少林武术图书一直与我社相伴相随，成为我社具有长期出版价值的图书门类。其中，少林武术图书的编纂者——已故的王长青（法号释德虔）先生功不可没。他经年累月锲而不舍，寻于寺院、觅于乡间，挖掘出大量尘封的少林武术资料，继而分门别类梳理、整饬成一册册书稿，并与我社携手努力，打造出独树一帜的武术图书板块，为我社的武术图书出版打开了新局面。

今天，在着力弘扬中华优秀传统文化，树立和增强文化自信的大背景下，我社将以往出版的少林武术书籍重新进行了编排，以全新的面貌推出“少林武术精粹系列丛书”，这是我社多年来少林武术出版情结的延续，是对积累和沉淀的少林武术资源的再一次整合与展示，更紧密契合了时代的要求。

通过这套书，读者可以研习刚柔相济、闪转腾挪的少林功夫，可以感悟其中凝结的中华智慧，可以领略武术文化的博大精深……这便是我社对这套书出版价值的期待。

目　录

一路罗汉十八手

动作名称

预备势

1. 父子拱手

2. 怀中抱月（反掌）

3. 白虎洗脸

4. 泥里拔葱

5. 上步推倒墙

6. 上步掠手

7. 扳　掌

8. 右崩肘

9. 左崩肘

10. 揭手砍掌

11. 仙人摘茄

12. 猛虎转身

13. 破心肘

14. 转身崩肘

15. 转身金绞剪势

16. 小猴抢瓜

17. 仙人归洞

18. 老虎靠山

收　势

动作图解

预备势

并步站立；两臂下垂，五指并拢；目视前方。（图1）

1. 父子拱手

左脚上前半步，右脚跟上成并步；两手由两侧向前，两臂屈肘交叉于胸前，右手在外，两掌心向外，掌指斜向上；目视前方。（图2）

图 1

图 2

2. 怀中抱月（反掌）

两脚不动；两掌同时向两侧拨，然后两臂屈肘向胸前回掠，于胸前交叉成叉手，左手在外，右手在内，目视前方。（图3）

3. 白虎洗脸

两脚不动；左手与右手环弧擦掌，两掌向前向上推，掌指向上，两掌心相对；目视前方。（图4）

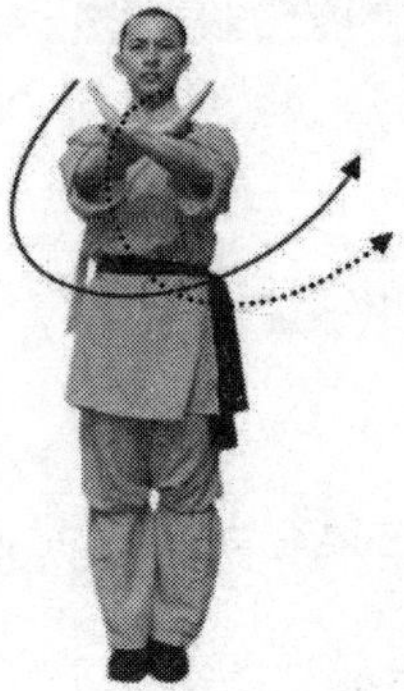

图 3

图 4

4. 泥里拔葱

右脚不动，左脚跟离地提起，脚尖点地成虚步，顺势两腿微蹲；左掌由上向右下方劈，右掌向右搂手后向左护于胸前，掌心向左；目视左前方。（图5）

5. 上步推倒墙

左脚跟落地，向左转体90度，右脚前上一步，左腿蹬直，成右弓步；两掌由下向前推出，两掌心向前，掌指向上；目视两掌。（图6）

6. 上步掠手

右脚不动，左脚前上一步，向右转体 90 度，顺势两腿微蹲；左掌回胸前由上向下劈，右臂屈肘，右掌由右向左抢出，掌心向上；目视左侧。（图 7）

7. 扳　掌

左脚跟落地，右脚不动，左脚向左横跨一步，两腿成马步；左掌由下向上向左侧屈肘扳掌，掌心向左，掌指向上，右掌端于腹前；目视左掌。（图8）

图 5

图 6

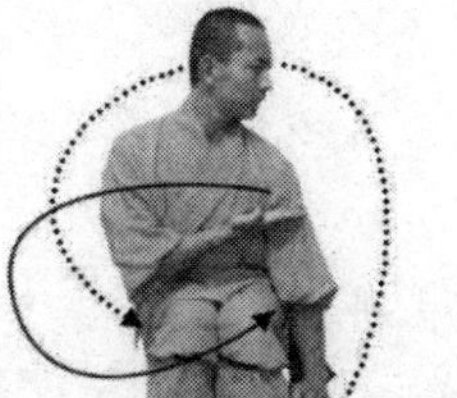

图 7

图 8

8. 右崩肘

右脚前上一步，两脚踉地，向左转体90度，成左弓步；右掌向

前向外砍掌，然后屈肘向前，由右向左摆，右掌护胸；目视前方。（图9）

9. 左崩肘

两脚蹍地，向右转体180度，左脚向前上一步，屈膝，两腿成左弓步；左臂向右前方屈肘上崩、前顶，左掌护胸；目视前方。（图10）

图 9

图 10

10. 揭手砍掌

右脚不动，收左脚落于右脚内侧，顺势上身右转，两腿屈膝下蹲；左掌由上向左下方砍，右掌护胸；目视左侧。（图 11）

11. 仙人摘茄

起身，右腿提膝，向右转体 90 度；左掌向左撩掌，右掌向前向上猛抢，掌心斜向上，掌指斜向前；目视右掌。（图 12）

图 11

图 12

12. 猛虎转身

右脚向前落一步，两脚踝地，向左转体 180 度，成左弓步；同时两掌向前抓，然后两掌回胸前，屈肘插掌；目视前方。（图 13）

13. 破心肘

两脚踝地，向右转体 180 度，成右弓步；两掌变拳，右臂屈肘向前向右摆，拳心向下，左拳向右砸击右臂，顺势再向右击右肘端；目视前方。（图 14）

图 13

图 14

14. 转身崩肘

左脚前上一步，两脚踾地，向右转体90度，成马步；两臂随势架肘，两拳同时由胸前向两侧崩击；目视前方。（图15）

15. 转身金绞剪势

两脚踾地，向右转体90度，左脚向前上一步，左腿屈膝成左弓步；同时两拳变掌回胸前屈肘交叉，左掌在外，右掌在内，两掌心向外；目视两掌。（图16）

图 15

图 16

16. 小猴抢瓜

右脚前上一步，两脚踾地，向左转体 90 度，成马步；两掌由右向左前方抓，然后屈肘内搂，掌心向内；目视右侧。（图 17）

17. 仙人归洞

收左脚与右脚成并步；两掌由内向外撩打，然后回胸前向上成叉手，两掌指斜向上，掌心向外；目视前方。（图 18）

图 17

图 18

18. 老虎靠山

右脚向右横跨一步，左腿屈膝成左弓步；两掌同时由上向下推出，然后变拳向前冲击，右臂屈肘，右拳护胸，左臂屈肘，左拳护腰；目视右侧。（图 19）

图 19

收 势

收左脚与右脚并步站立，身体挺直；两手五指并拢，在胸前环弧后下垂，贴于大腿两侧下方，掌心向内；目视前方。（图1）

二路罗汉十八手

动作名称

预备势

1. 铁牌护心
2. 火神分金
3. 金童开帘
4. 白鹤亮翅
5. 天王托塔
6. 二起采脚
7. 燕扑蝴蝶
8. 将军亮剑
9. 金佛托天
10. 黑虎破胆
11. 孤战群敌
12. 双手托月
13. 锋刀泼林
14. 送暴进洞
15. 推崖凿界
16. 猛虎扑食
17. 白猿攀空
18. 父子拱手

收　势

动作图解

预备势

并步站立；两臂下垂，五指并拢贴于大腿外侧，身体挺直；目视前方。（图 1）

1. 铁牌护心

左脚移于右脚前外侧半步；两掌向上向外再向内抖腕画弧，然后两臂向内屈肘上插，两掌交腕，右内左外，两掌心向外，掌指斜向上；目视前方。（图 2）

图 1

图 2

2. 火神分金

左脚向左跨一步，向左转体 90 度；左掌外掠后变拳向内抖腕，然后藏于左腋下，拳心向上；然后左腿屈膝，右腿深屈，右掌由下向外向上再向内画弧一圈，向右前方劈掌；目视右掌。（图 3）

3. 金童开帘

起身，两脚同时向前跳一大步，左腿屈膝，右腿蹬直，成左弓步；两掌成五花掌由胸前推出，左掌心向前，右掌置于左胸前；目视两掌。（图4）

图 3

图 4

4. 白鹤亮翅

向右转体 90 度，顺势左腿提膝；两掌随势回胸前由下向上内旋，从胸前向两侧伸展，高与肩平，掌心向上；目视前方。（图 5）

5. 天王托塔

左脚落于左侧一步，两脚踝地，向右转体 90 度，左脚向前上一步，左腿屈膝成左弓步；两掌回胸前内旋抖腕，左掌变拳直臂向后甩击，收于左侧腰间，拳心向上；接着右掌由右腋外向内画弧后，由下向前向上斜抢托出，掌心斜向上，掌指斜向前；上体向前倾探；目视右掌。（图 6）

图 5

图 6

6. 二起采脚

左脚向后移，屈膝抬起，出左掌拍击左脚跟部，然后左脚落地，再先起左脚，后起右脚，右腿向前向上弹踢，脚面绷平；当全身腾空时，出右掌向前向下拍击右脚面；目视右掌。（图7）

7. 燕扑蝴蝶

左脚先落地，右脚下落于左脚前一步，向左转体180度，速抬左脚向前跳一步，右脚向后翘起；左掌与右掌同时向前上方扑抓后合击；上体前倾；目视两掌。（图8）

图 7

图 8

8. 将军亮剑

右脚落于左脚后一步，左腿屈膝成左弓步，上体稍向右转；左掌由前向外再向内画弧后向右插掌，掌心向下；右掌由前向下向外画弧后竖于头右侧上方，拇指一侧向内，掌指向右；目视右侧。（图9）

9. 金佛托天

收右脚与左脚成并步，震脚；两掌由两侧向头前回掠，在头前下方合击；然后抬左脚提膝，脚尖向下；两掌向内抖掌后反手由两侧向上托架，两掌心向上，掌指相对；目视前方。（图 10）

图 9

图 10

10. 黑虎破胆

左脚落于左侧一步，向左转体 90 度，顺势右脚向前上一步，右腿屈膝，左腿蹬直，成右弓步；两掌随势回胸前由右向左甩，然后右臂屈肘，右掌由内向外向前冲，掌心向外；左掌向外拦掠后平端于右掌，掌心向内；目视两掌。（图 11）

11. 孤战群敌

右脚后撤一步，两脚踉地，向左转体 90 度，左脚向前上一步，两腿成叉步；右掌随势向后甩劈，转身后向外掠，然后屈肘后顶，掌心向上；左掌由胸前推出，掌指向上；目视左掌。（图 12）

图 11

图 12

12. 双手托月

右脚前上一步，同时向左转体 180 度，右腿屈膝成右弓步；两掌同时由下向外向上画弧，然后再分别绕腋下抖腕，向前向上抢出，掌心斜向上，掌指向前；上体略向前探；目视前方。（图 13）

13. 锋刀泼林

两脚向前纵跳一步，右脚先落地，向左转体 90 度，左腿全蹲，右腿伸直，成右仆步；两掌随势由左向下向右横拨，两掌心向下；目视右侧。（图 14）

14. 送暴进洞

起身，向左转体 90 度，成左弓步；两掌由胸前抖腕后从右向左，经胸前抢出，掌心向上，右掌置于左腕际；目视左掌。（图 15）

15. 推崖凿界

两脚踱地，向右转体 180 度；两掌随势回胸前由内向外画弧；

向前跳一步，左脚落于右脚后一步，右腿屈膝，成右弓步；两掌同时由胸两侧向前推出，掌指向上；目视两掌。（图 16）

图 13

图 14

图 15

图 16

16. 猛虎扑食

两脚踝地，向左转体 180 度，抬右脚向前跳一步，左腿屈膝后翘；右掌变五花掌向前下方抓；上体向前探；目视右掌。（图 17）

17. 白猿攀空

左脚落于右脚前一步，向右转体180度，左脚前上一步，顺势右腿提膝；两掌回胸前屈肘绕脸左右画弧，然后左掌向内抖腕经胸前向前上方伸出，掌心向上；同时，右掌向外掠，再屈肘后顶，置于腰间，掌心向上；目视左掌。（图18）

图 17

图 18

18. 父子拱手

右脚落于左脚前一步，向左转体90度，右脚向左移半步，与左脚并立；两掌分别由外向下再向上画弧一圈，然后向上屈肘成五花掌，左内右外，交叉竖立于胸前；目视前方。（图19）

图 19

收 势

两掌自然向下分开，两臂自然下垂，贴于两大腿外侧，掌心向内，挺胸抬头；目视前方。

三路罗汉十八手

动作名称

预备势

1. 拍打飞蝶
2. 画眉上架
3. 玩童抛球
4. 双勾挂玉瓶
5. 泥里拔葱
6. 小鬼跳绳
7. 罗汉坐凳
8. 二郎担山
9. 童子拜佛
10. 金鸡盘腿
11. 浪子踢球
12. 侠客藏剑
13. 双手托塔
14. 泥里拔葱
15. 金鸡盘腿
16. 劈山救母
17. 白鹤踏雪
18. 仙人指路

收　势

动作图解

预备势

并步站立；两臂下垂，五指并拢，掌指向下，掌心向内；身体挺直；目视前方。（图1）

1. 拍打飞蝶

左脚向左跨一步，两脚蹍地，向左转体90度，左腿屈膝，右腿蹬直，成左弓步；同时右掌扳打，掌指向前，掌心向上；左掌向外撩打，然后变拳，屈肘亮于胸左侧，拳心向内；目视右掌。（图2）

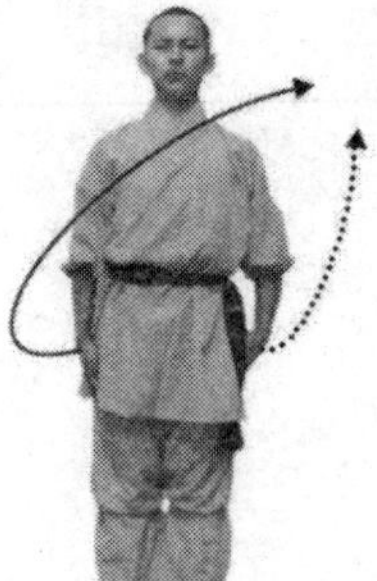

图 1

图 2

2. 画眉上架

左脚后收，两腿半蹲成左虚步；同时左拳变掌，向前推出，掌指向上，掌心向右；右掌由前向后再向前，屈肘亮掌，掌指向上，掌心向左；目视左掌。（图 3）

3. 玩童抛球

左脚向前上半步，脚尖点地，成左虚步；同时两掌变拳由前向后击打，拳心向下；目视前方。（图 4）

图 3

图 4

4. 双勾挂玉瓶

两脚向前踮跳一步，左脚落于右脚前，两腿屈膝略蹲成左虚步；同时两拳变掌由后向前抓，然后变成勾手置于胸前；目视两手。（图5）

5. 泥里拔葱

右脚前上一步，两脚踝地，向左转体 90 度，成并步；同时右掌随势向左抓，然后屈肘亮于左肩前，掌心向后；左掌由前向左后方撩打，掌心向后；顺势两腿半蹲；目视左侧。（图 6）

图 5

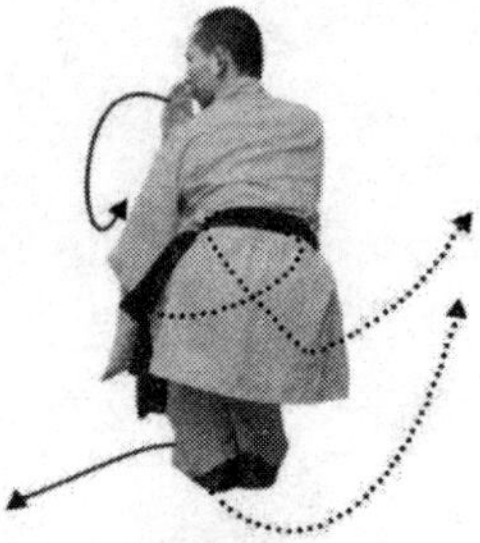

图 6

6. 小鬼跳绳

右脚先起，跳步向左转体 90 度，左脚向左后方翘起；同时右掌向前抓，然后屈肘亮于左侧前方；左掌向左撩掠；目视左侧。（图 7）

7. 罗汉坐凳

右脚支撑，左腿由后向前踢出，然后贴于右膝盖上，左脚尖点地；同时右掌由内向外撩打，掌心向外；左手由左向右画弧，然后再向后掠变勾手；顺势右腿半蹲；目视前方。（图8）

8. 二郎担山

左脚落于右脚前一步，顺势右脚向前上一步，屈膝成右弓步；同时两掌会于胸前环弧，然后右掌向前穿出，掌心向下；左手向后撩打；目视右掌。（图 9）

图 7

图 8

图 9

9. 童子拜佛

右脚向后收半步，脚尖点地，成右虚步；同时左勾手由后向前变掌，右掌由前向后，两掌在胸前会合，再向前屈肘合掌，两掌心相对；目视前方。（图 10）

10. 金鸡盘腿

右脚踏实，两脚蹍地，向左转体90度，左腿提膝，成独立势；

同时两掌由胸前随势由上向外向下环弧，成下插手；目视左侧。（图11）

图 10

图 11

11. 浪子踢球

左脚落于右脚前一步，顺势右腿向前弹踢；同时左掌由右向前方推出，掌心向前，掌指向上，右掌由左向后画弧，端于腰侧，掌心向上；目视左掌。（图 12）

12. 侠客藏剑

右脚落于左脚前一步，上体右转 45 度，两腿成右虚步；同时，右掌向后撩打，掌心向后；左掌由前随势向右，屈肘护于右肋下，掌心向右；目视右侧。（图 13）

13. 双手托塔

左脚向前上一步，屈膝下沉成左弓步；同时两掌由后向前托出，左掌前伸，右掌护于左肘内侧，掌心向上；目视前方。（图 14）

14. 泥里拔葱

右脚向前上一步，落于左脚前，向左转体 45 度，两腿屈膝半蹲成虚步；同时右掌由胸前向右猛劈，掌心向后；左掌由左向右，屈肘横推，置于右肩前，掌心向右，掌指向上；目视右侧。（图 15）

图 12

图 13

图 14

图 15

15. 金鸡盘腿

右脚踏实，向右转体 45 度，左脚向前上半步，两脚蹍地，向右转体 180 度，顺势向前上方提左膝；同时两掌向胸前坏劈成叉手，右内左外；目视前方。（图 16）

16. 劈山救母

左脚前上一步，屈膝成左弓步；同时，右掌向左往上再往右画弧，然后向前下方劈打；左掌向后撩成勾手；目视前方。（图17）

图 16

图 17

17. 白鹤踏雪

左脚向前踮跳一步，顺势右腿向前悬蹬，左膝略屈下蹲；同时右掌由前向外向上画弧，然后向下劈打；左臂由后向前屈肘，左掌护左颊，掌心向内；目视前方。（图 18）

18. 仙人指路

右脚前跨落地，屈膝成右弓步；同时右掌撩点，左臂屈肘，左

掌端于腰侧，掌心斜向前；目视右掌。（图 19）

图 18

图 19

收　势

右脚后收与左脚成并步；同时右掌由前向上往下画弧，左掌由下向外向上往下画弧，然后两臂下垂，五指并拢，掌心向内；身体挺直；目视前方。（图20）

图 20